Col

Grandes título

El estudiante de Salamanca

José de Espronceda

Adaptación de Rafael Fernández Díaz

MULTIPLATAFORMA

En www.edelsa.es

Clave de matriculación
A2978-84-9081-703-2

Director de la colección:
Alfredo González Hermoso.

Adaptador de *El estudiante de Salamanca*: Rafael Fernández Díaz.

La versión adaptada sigue la edición de Poesías de don José de Espronceda, Madrid, Imp. de Yemes, 1840, cotejada con la de Óscar L. Ayala Flores, Ediciones Akal, S. A., Madrid, 2013

Primera edición: 2015.
Edelsa Grupo Didascalia, S.A. Madrid, 2015.

Dirección y coordinación editorial: Departamento de Edición de Edelsa.
Diseño de cubierta: Departamento de Imagen de Edelsa.
Diseño y maquetación interior: Estudio Grafimarque, S.L.

Imprime: Grafo, industrias gráficas.

ISBN: 978-84-9081-703-2
Depósito legal: M-713-2015

Impreso en España/*Printed in Spain*

ÍNDICE

José de Espronceda

VIDA Y OBRA

1808 1822 | Nace el 25 de marzo en Almendralejo, Badajoz (Comunidad de Extremadura). La familia cambia constantemente de residencia, ya que el padre es militar. En 1820 se instalan definitivamente en Madrid. En 1821 ingresa en el Colegio de San Mateo.

1823 1832 | Funda la sociedad secreta Los Numantinos, contraria a Fernando VII. Se va de Madrid por sus actividades políticas. Comienza a escribir su poema épico *El Pelayo.*

1833 1836 | Escribe *Sancho Saldaña o el castellano de Cuéllar*, que publica en 1834. Estrena la comedia *Ni el tío ni el sobrino.* Funda el *Ateneo científico y literario.* En 1835 escribe *El pastor Clasiquino.* Teresa Mancha, a la que conoce en Portugal, le abandona. Publica el folleto político *El Ministerio Mendizábal.*

1837 1839 | Se estrena el drama *Amor venga sus agravios*. En 1839 desempeña la cátedra de Literatura moderna del *Liceo artístico y literario.* Muere Teresa que inspira el famoso *Canto a Teresa*, de *El diablo mundo.*

1840 1942 | Mantiene relaciones con Carmen Osorio. Muere su madre. Se publican las *Poesías* y aparecen por entregas fragmentos de *El diablo mundo* y de *El estudiante de Salamanca.* En 1841 colabora en el periódico El Pensador y es elegido diputado del Congreso. Toma posesión de su escaño en marzo. Muere el 23 de mayo.

Ficha ampliada en www.edelsa.es >tuaulavirtual

Parte primera

Cuentan antiguas historias que los hechos que voy a relatar[1] pasaron después de la medianoche, cuando todo está en silencio, los vivos parecen muertos y los muertos salen de sus tumbas[2]. Era esa hora cuando se oyen voces
5 espantosas[3] y se escuchan silenciosos pasos; los fantasmas[4] vagan[5] entre la niebla y los perros ladran[6]; esa hora en que los espíritus del mal van a sus fiestas, mientras se oyen las campanas[7] de alguna vieja iglesia[8]. 1.

1. **Versión original del texto anterior**

Era más de media noche,
antiguas historias cuentan,
cuando en sueño y en silencio
lóbrego envuelta la tierra,
los vivos muertos parecen,
los muertos la tumba dejan.
Era la hora en que acaso
temerosas voces suenan

1 relatar: contar.
2 tumba: lugar donde está enterrado un muerto.
3 espantoso: que da miedo.
4 fantasma: imagen de una persona muerta que se aparece a los vivos.
5 vagar: andar sin destino.
6 ladrar: voz de los perros.
7 campana: objeto que suena en las iglesias. Está en la torre.
8 iglesia: edificio donde se reúnen los cristianos para hacer sus ritos.

> informes, en que se escuchan
> tácitas pisadas huecas,
> y pavorosos fantasmas
> entre las densas tinieblas
> vagan, y aúllan los perros
> amedrentados al verlas:
> en que tal vez la campana
> de alguna arruinada iglesia
> da misteriosos sonidos
> de maldición y anatema,
> que los sábados convoca
> a las brujas a su fiesta.

El cielo estaba muy negro pues no había ni una estrella. Silbaba[9] lúgubre[10] el viento y en el aire se veían las torres de las iglesias y las almenas[11] de los castillos, que parecían fantasmas. En fin, todo descansaba a medianoche. Salamanca[12], la ciudad del río Tormes, famosa por sus escritores y soldados, era como un cementerio[13].

De pronto, se escucha un ruido de espadas[14] y se oye llorar a alguien que parece que se está muriendo. Es un ¡ay! moribundo[15], un ¡ay! que entra en el corazón y que hiela los huesos[16].

9 silbar: el ruido que hace el viento.
10 lúgubre: muy triste.
11 almena: saliente de los muros en las antiguas murallas que protegían a los soldados.
12 Salamanca: ciudad española (comunidad de Castilla-León) famosa por su universidad.
13 cementerio: lugar donde se entierra a los muertos.
14 espada: arma larga, estrecha y que acaba en punta.
15 moribundo: persona que se está muriendo.
16 hiela los huesos: expresión que indica que el miedo es muy intenso.

20 Para el ruido y se ve a un hombre con una capa[17]. Lleva los ojos tapados por el sombrero. Pasa junto a una iglesia y desaparece[18] en la oscuridad. Cruza una calle estrecha y larga, la calle del Ataúd[19]. Es una calle oscura, pues solo tiene la luz de una pequeña lámpara[20] que hay 25 al lado de una cruz[21]. Al pasar junto a ella, la espada que lleva este hombre da un destello[22].

Ya muy tarde, por la noche, la luz de la lámpara es más tenue[23] y casi no ilumina[24]. Y, entonces, se ve a un fantasma que da terror[25]. Pero el hombre de la capa no 30 tiene miedo y se acerca a él con la espada en la mano. La espada todavía tiene sangre.

Este hombre es don Félix de Montemar, otro don Juan Tenorio[26], colérico[27], insolente[28], sin religión, valiente, engreído[29] y provocador[30]. No tiene miedo a nada 35 ni a nadie, pues es muy atrevido. Se burla de las mu-

17 capa: prenda sin mangas que se lleva sobre la ropa. Muy utilizada en el siglo XIX.
18 desaparecer: dejar de verse.
19 Ataúd: nombre que recibe la caja en la que se coloca a los muertos para enterrarlos o incinerarlos.
20 lámpara: objeto que sirve para dar luz. En esta época era de aceite.
21 cruz: objeto típico que representa al cristianismo.
22 destello: brillo.
23 tenue: débil.
24 iluminar: dar luz.
25 terror: miedo.
26 Don Juan Tenorio: es el protagonista de una obra de teatro del escritor español José Zorrilla, de la misma época que Espronceda. La personalidad de don Juan es muy parecida a la de Félix de Montemar.
27 colérico: que se enfada con facilidad.
28 insolente: orgulloso, soberbio.
29 engreído: vanidoso, que está muy convencido de tener muchas cualidades.
30 provocador: que le gusta molestar.

jeres[31], que deja después de conquistarlas[32]. No piensa en el pasado ni tiene miedo al futuro. Y no le importa perder[33] dinero en el juego. Le gustan las peleas[34] y los amoríos[35]. En Salamanca es famoso por su mala vida y su buen humor[36]. Todos lo conocen pero lo perdonan[37], porque es rico y elegante. 40

2.

2. **Versión original del texto anterior**

Segundo don Juan Tenorio,
alma fiera e insolente,
irreligioso y valiente,
altanero y reñidor:
siempre el insulto en los ojos,
en los labios la ironía,
nada teme y todo fía
de su espada y su valor.

Corazón gastado, mofa
de la mujer que corteja,
y, hoy despreciándola, deja
la que ayer se le rindió.
Ni el porvenir temió nunca,
ni recuerda en lo pasado,
la mujer que ha abandonado,
ni el dinero que perdió.

31 burlarse de las mujeres: enamorar a las mujeres con mentiras.
32 conquistar: enamorar.
33 perder dinero en el juego: se refiere a apostar dinero en los juegos de cartas o dados y quedarse sin él.
34 pelea: discusión con violencia física.
35 amoríos: relaciones amorosas temporales y superficiales.
36 humor: disposición positiva ante la vida.
37 perdonar: disculpar, justificar.

Ni vio el fantasma entre sueños
del que mató en desafío,
ni turbó jamás su brío
recelosa previsión.
Siempre en lances y en amores,
siempre en báquicas orgías,
mezcla en palabras impías
el chiste y una maldición.

En Salamanca famoso
por su vida y buen talante,
al atrevido estudiante
le señalan entre mil;
fuero le da su osadía,
le disculpa su riqueza,
su generosa nobleza,
su hermosura varonil.

* * *

Elvira[38], la inocente[39] y desafortunada[40] Elvira, fue un día amor del estudiante. Era una muchacha bella, de mirada lánguida[41] y dulce, un ángel de amor. Don Félix le prometió amor eterno y ella lo creyó. No sabía que aquel amor falso era un veneno[42] mortal[43]. Cuando estaba en los brazos de su amante era como un niño en

45

38 El narrador detiene la narración de los hechos para describir a Elvira, la protagonista, y contarnos algo de lo que sucedió en el pasado.
39 inocente: que es fácil de engañar.
40 desafortunado: con poca suerte, desgraciado.
41 lánguido: débil, triste, con poca vida.
42 veneno: sustancia mala para la salud.
43 mortal: que produce la muerte.

los brazos de su madre. Elvira era muy ingenua[44] y creía que aquellas caricias[45] y aquellos abrazos iban a ser eternos. Pensó que su futura felicidad iba a ser don Félix. Cuando lo besaba y oía sus palabras de amor, lo miraba con dulzura[46] y lo adoraba[47] como a un dios.

50

44 ingenuo: inocente.
45 caricia: demostración de afecto que consiste en tocar con la mano la cara o el cuerpo de una persona o de un animal.
46 dulzura: suavidad, amabilidad, cariño.
47 adorar: sentir respeto y amor en grado sumo.

Parte segunda[48]

La noche está tranquila y llena de luceros[49]. El cielo está azul y limpio[50] como una gasa[51] transparente. La luna melancólica[52] aparece poco a poco detrás de las colinas[53]. Con el resplandor[54] de la luna se ve un pequeño río. Parece una cinta[55] de plata[56] entre esmeraldas[57]. Un suave viento mueve las ramas[58] de los naranjos y de las acacias[59], que ya tienen flores. La noche es pura y huele muy bien. Parece el paraíso[60].

En este maravilloso lugar hay una mujer. Tiene el pelo largo y suelto[61]. Lleva un vestido muy blanco. Y va deshojando[62] las flores que tiene en su mano. Su paso es

48 En esta segunda parte, el autor cambia de tiempo y de espacio.
49 lucero: estrella.
50 limpio: de color uniforme, sin nubes.
51 gasa: tela de seda o de hilo muy fina.
52 la luna melancólica: la luna transmite sensación de tristeza para estar como la protagonista.
53 colina: montaña pequeña.
54 resplandor: luz, claridad, brillo.
55 cinta: tejido largo y estrecho de seda u otra fibra, que sirve para atar o adornar.
56 plata: metal de color gris muy utilizado en joyería.
57 esmeralda: piedra preciosa de color verde. Al poeta las orillas verdes del río le parecen esmeraldas.
58 rama: cada una de las partes que nacen del tronco de un árbol.
59 naranjo y acacia: son dos tipos de árbol que dan unas flores muy aromáticas.
60 paraíso: el lugar ideal en el que la Biblia sitúa a Adán y Eva.
61 suelto: se dice del pelo no recogido.
62 deshojar: quitar una a una las hojas de una flor o planta.

poco seguro y lento. Su mirada parece intranquila[63]. Está muy distraída[64]. Mira al cielo, suspira[65] y se para. De sus ojos sale una lágrima[66]. Está tan triste que esta lágrima es como una ola del mar, como una fiera borrasca[67] que ha alterado[68] su alma. La mujer está inquieta[69]. Se sienta… Se levanta… Recorre[70] nerviosa el jardín… Se para a oír el susurro[71] del viento y el murmullo[72] del agua.

15

Esta mujer es Elvira.

Y lo que oye no es la voz del hombre que tanto amó y que ya se olvidó de ella. Esta noche y esta luna son las mismas que vieron en otro momento su felicidad. Ahora, ven su desgracia[73] y sus lágrimas. Ahora, Elvira es una triste enamorada a la que su amante abandonó[74], que deshoja distraídamente[75] unas flores que el viento se lleva. También el viento se va a llevar su amor, su esperanza[76] y su felicidad, pues las ilusiones perdidas son como hojas que se desprenden[77] del árbol del corazón.

20

25

63 intranquilo: nervioso, inquieto, poco seguro.
64 distraído: que va pensando en algo y no es consciente de dónde está.
65 suspirar: respirar de manera fuerte y lenta, dando sensación de preocupación o malestar.
66 lágrima: cada una de las gotas que salen de los ojos por tristeza o por exceso de alegría.
67 borrasca: el autor utiliza un fenómeno de la naturaleza para describir un estado de ánimo, en este caso *borrasca*, que se caracteriza por fuertes vientos y lluvias.
68 alterar: producir inquietud, intranquilidad.
69 inquieto: intranquilo, nervioso.
70 recorrer: andar por todo el espacio.
71 susurro: el ruido que hace el viento.
72 murmullo: el ruido que hace el agua de un arroyo.
73 desgracia: desdicha, adversidad.
74 abandonar: dejar, olvidar.
75 distraídamente: sin darse cuenta.
76 esperanza: ilusión, posibilidad.
77 desprenderse: caerse, irse.

Son como las hojas caídas de los árboles: juguetes del
30 viento[78]. Y un corazón sin amor es un desierto en el que
ya no nace ninguna flor. 3.

3. **Versión original del texto anterior**

Son ilusiones que fueron:
recuerdos, ¡ay!, que te engañan,
sombras del bien que pasó...
Ya te olvidó el que tú amas.

Esa noche y esa luna
las mismas son que miraran
indiferentes tu dicha,
cual ora ven tu desgracia.

¡Ah! ¡Llora, sí, ¡pobre Elvira!
¡Triste amante abandonada!
Esas hojas de esas flores
que distraída tú arrancas,

¿sabes adónde, infeliz,
el viento las arrebata?
Donde fueron tus amores,
tu ilusión y tu esperanza;
deshojadas y marchitas,
¡pobres flores de tu alma!

Blanca nube de la aurora,
teñida de ópalo y grana,
naciente luz te colora,
refulgente precursora
de la cándida mañana.

Mas ¡ay! que se disipó
tu pureza virginal,

78 Son juguetes del viento porque el viento las lleva de un sitio a otro.

tu encanto el aire llevó
cual la aventura ideal
que el amor te prometió.

Hojas del árbol caídas
juguetes del viento son:
las ilusiones perdidas
¡ay!, son hojas desprendidas
del árbol del corazón.

¡El corazón sin amor!
Triste páramo cubierto
con la lava del dolor,
oscuro inmenso desierto
donde no nace una flor!

* * *

Ha llegado la noche y Elvira, trastornada[79], sueña con el hombre que amó y que se fue para siempre. Se imagina un pequeño pueblo en la playa y un barco que va por el mar. Ha perdido la razón[80]. Por eso es feliz y dice palabras de amor. Cree que el estudiante la está escuchando. Y coge flores para hacer una corona de novia[81]. 35

Pero de pronto tiene un triste recuerdo. Entonces, echa al río, una a una, las flores y ve cómo se las lleva el agua. Y, con lágrimas en los ojos, canta una triste canción de amor: 40

79 trastornado: sin juicio, loco.
80 perder la razón: estar loco.
81 corona de novia: adorno de forma circular hecho con flores que se colocan en la cabeza algunas mujeres cuando se casan.

«¿Para qué quiero la paz de esta noche sin la esperanza de tener amor? ¿Para qué voy a amar tanto a un hombre que no sabe que yo lo amo?».

* * *

45 Y así, la desdichada[82] Elvira se murió de amor. Para ella el amor era la única razón[83] para vivir. Su vida fue tan breve como la de una flor, que está muy hermosa por la mañana y por la tarde ya está marchita[84].

Pero, poco antes de morir, Elvira tuvo un momento 50 de cordura[85] y vio claramente la amarga[86] realidad: su pasado fue feliz y su presente es doloroso[87]. Y entonces, con mano temblorosa[88] le escribió una carta a su amante infiel:

«Voy a morir. Te pido perdón. No deseo importunarte[89]. Don 55 *Félix, este es el último lamento[90] de la mujer que te ha querido tanto. Siento la mano helada de la muerte. Adiós. No te pido ni amor ni compasión[91]. Durante un tiempo sentí que mi vida era dichosa[92] gracias a ti. Tus palabras fueron para mí la felicidad total.*

82 desdichado: infeliz, desafortunado, sin suerte.
83 razón: motivo, causa.
84 marchito: seco, muerto.
85 cordura: lo contrario a la locura.
86 amargo: duro, desagradable.
87 doloroso: que da dolor, que da sufrimiento.
88 tembloroso: que se mueve, que no está quieto.
89 importunar: molestar.
90 lamento: queja.
91 compasión: sentimiento de pena hacia los que tienen algún dolor.
92 dichoso: feliz.

Todavía mi mente goza[93] de ese recuerdo. Ahora ya todo ha desaparecido[94]. 60

Te pido perdón, Dios mío, por recordar con placer[95] mi pasado equivocado.

A ti, don Félix, te deseo que mi recuerdo no te cause[96] dolor. Mis ojos han llorado en silencio muchas lágrimas. Ahora, en la hora de mi muerte, solo espero de ti una ayuda para morir en paz: tu olvido. 65

Te deseo éxito, felicidad y amor. Te deseo un futuro sin dolor y sin remordimiento[97].

Adiós para siempre, adiós. Siento que mi vida se acaba. Pero todavía en mi corazón está el fuego del amor. Adiós. Perdí tu amor y ya no tengo nada en este mundo». 70

4.

4. **Versión original del texto anterior**

«Voy a morir: perdona si mi acento
vuela importuno a molestar tu oído:
él es, don Félix, el postrer lamento
de la mujer que tanto te ha querido.
La mano helada de la muerte siento...
Adiós, ni amor ni compasión te pido...
Oye y perdona si al dejar el mundo,
arranca un ¡ay! su angustia al moribundo.

93 gozar: disfrutar, aprovechar.
94 desaparecer: acabar, terminar.
95 placer: agrado, alegría, bienestar.
96 causar: dar, producir.
97 remordimiento: sentimiento desagradable después de una mala acción.

¡Ah! para siempre adiós. Por ti mi vida
dichosa un tiempo resbalar sentí,
y la palabra de tu boca oída,
éxtasis celestial fue para mí.
Mi mente aún goza la ilusión querida
que para siempre ¡mísera! perdí...
¡Ya todo huyó, desapareció contigo!
¡Dulces horas de amor, yo las bendigo!

Y, después de exhalar su último aliento[98], con un movimiento nervioso dijo un nombre. Y su alma[99] se fue al lugar donde están los ángeles. Alrededor de su tumba nacen las flores y el viento llora su tristeza. Un sauce[100] 75 le da sombra[101] con sus ramas. Y en los atardeceres un último rayo[102] de sol la ilumina.

98 exhalar el último aliento: se dice de la última respiración de alguien que se muere.
99 alma: en algunas religiones, la parte inmortal del ser humano.
100 sauce: un árbol cuyas ramas cuelgan y producen mucha sombra. Se utiliza en decoración de jardines.
101 sombra: ausencia de luz.
102 rayo: línea de luz.

Parte tercera[103]

(Don Félix de Montemar, don Diego de Pastrana y seis jugadores)

Alrededor de una mesa hay seis hombres jugando a las cartas[104]. Están muy atentos al juego. Hay un profundo[105] silencio. A veces se oye el ruido de las monedas[106] o las palabras de enfado[107] de algún jugador. Hay poca luz. Las paredes de la sala están muy negras. Fuera, hace viento. 5

ESCENA I

Jugador 1.º: El caballo[108] no ha salido todavía.
Jugador 2.º: ¿Qué carta es esta?
Jugador 1.º: La sota[109]. Ya he perdido mucho dinero.
Jugador 2.º: Pero aún puedes ganar.
Jugador 1.º: Tengo muy mala suerte. 10
Jugador 2.º: ¿Cuánto has perdido?
Jugador 1.º: Mil escudos[110] y el dinero que don Félix me dio.
Jugador 2.º: ¿Y dónde está él?
Jugador 1.º: ¡No lo sé! Pero va a venir. 15

---

103 Los hechos suceden después de la muerte de Elvira.
104 carta: naipe, cada una de las cartulinas que componen la baraja.
105 profundo: grande, intenso, hondo.
106 moneda: pieza redonda de oro, plata u otro metal, que se utiliza para comprar y vender.
107 enfado: disgusto, malestar.
108 caballo: carta de la baraja española, equivalente a la D *(Dame)* de la baraja francesa o a la Q *(Queen)* de la inglesa.
109 sota: carta de la baraja española, equivalente a la J *(Jack)* de la baraja inglesa o la V *(Valet)* de la francesa.
110 escudo: moneda de la época.

ESCENA II

Entra en la sala[111] un caballero[112] elegante. Parece arrogante [113] y enfadado.

Jugador 1.º: *(Al que entra).* Don Félix, llegas un poco tarde.

20 **Don Félix:** ¿Has perdido?

Jugador 1.º: Sí. Todo el dinero que me has dado y más.

Jugador 2.º: Es lógico. Don Félix de Montemar pierde en el juego, pero gana siempre en el amor[114].

Don Félix: Ahora me interesa el dinero pues no ne-
25 cesito amor. Tengo ya mucho. *(Se dirige a todos los jugadores, coge una cadena[115] que lleva en el cuello[116] y la deja sobre la mesa).* Apuesto[117] esta cadena. Vale[118] dos mil ducados[119].

Jugador 3.º: Es mucho, pero aceptamos[120].

30 **Don Félix:** Al as de oros[121]. Allá va. *(Reparte las cartas y los jugadores las cogen en silencio).* Una, dos...

Jugador 3.º: ¡El as! Aquí está el as.

Jugador 1.º: Ya ha ganado.

---

111 sala: habitación.
112 caballero: señor.
113 arrogante: orgulloso, altivo, vanidoso.
114 Hace referencia al refrán español: *Afortunado en el juego, desafortunado en amores;* o *Desgraciado en el juego, afortunado en amores.*
115 cadena: adorno, generalmente de oro o de plata, que se pone alrededor del cuello.
116 cuello: parte del cuerpo que une la cabeza con el tronco.
117 apostar: en los juegos, arriesgar cierta cantidad de dinero en la creencia de aumentarla en caso de acierto.
118 valer: costar.
119 ducado: moneda de la época.
120 aceptar: dar por buena.
121 as de oros: la baraja española está dividida en cuatro categorías o palos: oros, bastos, espadas y copas. En cada una de ellas el as, el 1, es la carta más importante.

Don Félix: Ha tenido suerte[122]. Pues ahora, apuesto también este retrato[123], que tiene un marco de pedrería[124]. 35

Jugador 1.º: *(Mira el retrato).* ¡Hermosa mujer!

Jugador 4.º: No es caro.

Don Félix: Entonces, ¿aceptas?

Jugador 3.º: Sí. 40

Jugador 1.º: Está muy bien hecho. Parece que respira...

Jugador 2.º: Yo apuesto cien ducados por don Félix.

Jugador 4.º: Yo, cincuenta en contra de él[125].

Jugador 5.º: Cincuenta más. Espera un momento.

Jugador 2.º: Yo también apuesto cincuenta. 45

Jugador 3.º: ¿Jugamos?

Don Félix: Sí, rápido.

(Todos están nerviosos. Esperan el resultado).

Jugador 4.º: ¿Qué ha salido?

Jugador 2.º: ¡Mala suerte! Hemos perdido, don Félix. 50

Jugador 3.º: Solo has perdido el marco. No has apostado la mujer, ¿verdad?

Don Félix: ¿Cuánto das por la mujer?

Jugador 3.º: Yo doy la vida.

Don Félix: Ahora solo me interesa el dinero. 55

Jugador 3.º: Las mujeres no saben que las vendes, ¿verdad que no?

Don Félix: Eso es cosa mía. ¿Quieres o no quieres a la mujer? Te la vendo.

Jugador 3.º: Está bien. Vamos a jugar. 60

---

122 suerte: fortuna.

123 retrato: pintura o dibujo de una persona.

124 pedrería: que tiene pequeñas piedras preciosas.

125 en contra de él: indica que este jugador espera que don Félix no gane en el juego.

ESCENA III

Entra un hombre con capa y sombrero. Solo se le ven los ojos. Parece triste y enfadado. Viene decidido a matar o a morir. En silencio se acerca a don Félix y lo mira de forma airada[126]. Don Félix mira al extraño[127].
65 Lo mira también de forma fría y le sonríe.

Don Félix: Buen hombre, ¿por qué está tan tapado?, ¿de qué lugar ha huido[128]?
Don Diego: Eso es una impertinencia[129].
Don Félix: *(Sigue jugando y no mira a don Diego).* No he
70 entendido lo que ha dicho, pero no me ha gustado su forma de preguntar.
Don Diego: Quiero hablar a solas con usted.
Don Félix: Ahora estoy jugando. Puede hablar aquí. Estos caballeros son mis amigos. ¿Lo envía Dios a re-
75 prenderme[130]? Pues puede reprendernos a todos.
Don Diego: *(Se enfada y se quita la capa).* Soy don Diego de Pastrana. ¿No me conoce?
Don Félix: A usted, no. Pero sí a una mujer que creo que es hermana suya.
80 **Don Diego:** ¿Y no sabe que ha muerto?
Don Félix: ¿Y qué?
Don Diego: Usted sabe muy bien quién la mató.
Don Félix: *(Con ironía).* ¿Algunas fiebres[131]?

---

126 airado: con enfado y desprecio.
127 extraño: desconocido.
128 huir: escapar.
129 impertinencia: en este caso es una pregunta molesta.
130 reprender: reñir, regañar.
131 fiebre: se refiere aquí de forma genérica a cualquier enfermedad infecciosa.

Don Diego: Cínico[132].
Don Félix: Tranquilo, don Diego. Va a morirse usted también. Y yo no lo deseo. Además, ¡su hermana no va a resucitar[133]! 85
Don Diego: Quiero matarlo, pero matarlo una sola vez me parece poco. Tengo que vengar[134] la muerte de mi hermana. 5. 90
(Saca la espada. Los jugadores no permiten[135] la pelea).
Don Félix: *(Se levanta).* Don Diego, ya ve que estoy tranquilo y no tengo miedo.
Don Diego: Vamos afuera, porque voy a matarlo.
Don Félix: Allá voy, pero antes quiero contar el dinero... uno... dos... Va a morir... y por una tontería[136]... ¿Cuál es mi delito[137]? Su hermana era hermosa, la conocí, me amó y se murió. No soy yo el responsable de su muerte. Las mujeres de hoy no mueren de amor. 95 100
Don Diego: Vamos. *(Salen y don Félix se ríe).*

5. **Versión original del texto anterior**

Don Diego: A solas hablar querría.
Don Félix: Podéis, si os place, empezar,
que por vos no he de dejar
tan honrosa compañía.
Y si Dios aquí os envía
para hacer mi conversión,

132 cínico: descarado, desvergonzado.
133 resucitar: volver a la vida.
134 vengar: devolver un daño.
135 permitir: dejar, consentir.
136 tontería: hecho sin importancia.
137 delito: falta, crimen, infracción.

no despreciéis la ocasión
de convertir tanta gente,
mientras que yo humildemente
aguardo mi absolución.
Don Diego: *(Desembozándose con ira).*
Don Félix, ¿no conocéis
a don Diego de Pastrana?
Don Félix: A vos no, mas sí a una hermana
que imagino que tenéis.
Don Diego: ¿Y no sabéis que murió?
Don Félix: Téngala Dios en su gloria.
Don Diego: Pienso que sabéis su historia,
y quién fue quien la mató.
Don Félix: *(Con sarcasmo).*
¡Quizá alguna calentura!
Don Diego: ¡Mentís vos!
Don Félix: Calma, don Diego,
que si vos os morís luego,
es tanta mi desventura,
que aún me lo habrán de achacar,
y es en vano ese despecho,
si se murió, a lo hecho, pecho,
ya no ha de resucitar.

ESCENA IV

(Los jugadores).

Jugador 1.º: Este don Diego Pastrana es un hombre valiente, pues ha venido desde Flandes[138] solo a vengar a su hermana.

138 Flandes: Países Bajos que en otro tiempo pertenecieron a la corona española.

Jugador 2.º: ¡Pues es un disparate[139]! Creo que va a morir.
Jugador 3.º: O no.
Jugador 4.º: Me voy a alegrar de su muerte.

---

139 disparate: error, decisión equivocada.

Parte cuarta[140]

Don Félix camina por la calle del Ataúd. Va con la espada en la mano y la expresión de la cara serena[141]. Ha matado al hermano de Elvira y está muy tranquilo. No tiene miedo. Tampoco a la lámpara que ilumina la imagen de Cristo.

De pronto, la lámpara se apaga y la calle se queda a oscuras. Don Félix camina lentamente y oye un suspiro. Se pone muy nervioso. «¿Quién está ahí?», pregunta, sin mostrar[142] ni valentía ni miedo.

Busca a su alrededor. No ve a nadie y se enfada. De repente ve, entre la niebla, una misteriosa figura. Va vestida de blanco. Montemar la mira fijamente, con asombro[143], pero sin temor[144]. «¿Es una estrella?, ¿lo estoy imaginado?, ¿he bebido mucho vino y estoy borracho[145]? , ¿o es Dios que quiere asustarme?», piensa riéndose. «¡Me gusta más el diablo[146]! No le tengo ningún miedo».

140 Esta parte cuarta es continuación de la tercera y enlaza con la parte primera.
141 sereno: tranquilo, seguro.
142 mostrar: dejar ver.
143 asombro: sorpresa, extrañeza.
144 temor: miedo.
145 borracho: ebrio, estado de quien ha bebido mucho alcohol.
146 diablo: demonio.

Al decir esto, la lámpara se enciende otra vez y don Félix ve a una mujer con un velo[147] blanco que está rezando[148] delante de la imagen. 20

—Gracias a Dios o al diablo —dice el estudiante.

Se va acercando a la mujer. Cuando anda, la luz y la mujer se alejan. Cuando se para, se para también la mujer. Y de los ojos de la imagen de Cristo brotan[149] algunas lágrimas. Montemar mira cara a cara 25 a Cristo. No tiene miedo. Tampoco siente dolor. Nota[150] que la calle se mueve y que sus pies no están sobre la tierra. Finalmente cree que ha bebido mucho vino.

Entonces toma la lámpara y se acerca[151] a la mujer 30 para verle la cara. El viento apaga la luz y la mujer se levanta. Por un momento cree que la conoce y que le trae buenos recuerdos. Parece un ángel que anda suavemente sobre un suelo de alfombras, como un rayo de luna[152] sobre el mar. 35

—¿Qué? —dice don Félix—. ¿No quieres mi compañía? ¿Te callas? Es inútil, porque voy a seguirte. Quiero saber adónde vas, quién eres y cómo te llamas. ¿Que

147 velo: tela fina con la que se cubre la cabeza.
148 rezar: orar.
149 brotar: salir.
150 notar: sentir.
151 acercarse: aproximarse.
152 Para destacar el aspecto espiritual, misterioso y fantasmal de la mujer que Montemar está viendo, Espronceda la compara con un rayo de luz, la luz de la luna, la luz del atardecer. Todas estas comparaciones son muy frecuentes en el Romanticismo.

eres Satanás[153]? No me importa. Te sigo al infierno[154].
40 Yo no puedo tener miedo a una mujer.

Por fin, la figura blanca dice unas palabras. Es una queja[155] que rompe el corazón:

—¡Qué triste es descubrir que la felicidad no es eterna, que solo dura un día! ¡Qué triste es ocultar[156] el do-
45 lor con una sonrisa! ¡Qué triste es recordar el placer perdido! ¡Qué tristes son las noches sin dormir a causa del dolor! ¡Qué triste es pensar solo en el pasado!

—¿Por qué te escondes bajo ese velo? —pregunta don Félix—. ¿Tienes miedo a alguien? ¿Tienes algún
50 amor oculto? ¿He acertado? ¿No quieres hablar? Pues yo tampoco hablo con los que no quieren hablar conmigo. Actúo[157].

De nuevo se oye la voz. Es muy suave. Parece la voz de una persona enamorada, pero con el acento misterio-
55 so de los muertos:

—Para mí ya se acabó el amor. Ya se acabó todo en este mundo. Ya el cielo destruyó[158] lo que me unía a la tierra.

153 Satanás: otro de los nombres del diablo.
154 infierno: el lugar donde está Satanás y donde van los pecadores, después de la muerte, según algunas religiones.
155 queja: lamento.
156 ocultar: tapar, disimular.
157 actuar: hacer.
158 destruir: romper, eliminar.

A Montemar esta voz no le asusta. Quiere aventura. La mujer parece bella y quiere conquistarla. Además, la hora, la calle y la noche oscura le producen más emoción.

—¿Vas a seguirme? Es peligroso[159], pues ofendes[160] a Dios —dice la mujer.

—Tu desinterés[161] me enamora más. ¡Y no me importa molestar[162] a Dios! —responde con atrevimiento[163] el estudiante.

—¡Tu final se acerca!, don Félix.

—¿Me conoces?

—Sí. Y te digo que tu muerte está próxima.

—¡No me interesa[164]! Me gusta más hablar de amor. La vida es la vida y, cuando se acaba, se acaba también el placer. ¿Pensar en la enfermedad y en la muerte? No. Para mí no hay ni ayer ni mañana. ¿Que me muero mañana? ¡Mala suerte! Quiero disfrutar[165] el presente. Lo demás no me importa.

6.

159 peligroso: que puede causar daño.
160 ofender: molestar, incomodar.
161 desinterés: falta de interés.
162 molestar: causar molestias, causar malestar.
163 atrevimiento: decisión para hacer algo que tiene riesgo.
164 interesar: importar.
165 disfrutar: aprovechar.

6. **Versión original del texto anterior**

> la vida es la vida: cuando ella se acaba,
> acaba con ella también el placer.
> ¿De inciertos pesares por qué hacerla esclava?
> Para mí no hay nunca mañana ni ayer.
>
> Si mañana muero, que sea en mala hora
> o en buena, cual dicen, ¿qué me importa a mí?
> Goce yo el presente, disfrute yo ahora,
> y el diablo me lleve si quiere al morir.

—¡Dios mío! No quiero oír más a este hombre —exclamó[166] la misteriosa mujer.

Y, entonces, don Félix siente que su corazón late[167] con más velocidad[168]. Sigue a la misteriosa mujer y pasan por calles tristes y plazas solitarias[169]. Se oye el ruido que hace al andar. Mientras, la ciudad duerme en silencio.

Cruzan[170] una calle y otra y otra... El viaje no se acaba nunca. Montemar ya no sabe dónde está, ni adónde va. Oye las campanas y los fantasmas bailan a su alrededor. Los espíritus repiten[171] su nombre: «Montemar, Montemar, Montemar...».

166 exclamar: decir con intensidad.
167 latir: palpitar, agitarse.
168 velocidad: rapidez, intensidad.
169 solitario: sin gente.
170 cruzar: ir de una calle a otra, pasar de un lado a otro de la calle.
171 repetir: decir lo mismo otra vez.

De nuevo vuelve el silencio. Desaparecen las casas, los palacios y las iglesias. Todo es un campo desierto[172]. Él sigue caminando detrás de la misteriosa mujer. Está perdido en aquel espacio tan inmenso[173]. De nuevo está en Salamanca. «¿Estoy soñando o estoy loco?, ¿quién es esta mujer?, ¿es el diablo?», se pregunta. Pero no le importa. Él la sigue.

Ahora oye el ruido de pasos de personas que caminan y se paran. Están rezando. Hay luces. Y ve un entierro[174]. Van a enterrar a dos muertos.

La mujer de blanco se arrodilla[175] y reza. Don Félix, indiferente, sigue de pie y pregunta quiénes son los muertos. Nadie le responde. Pero ahora los ve. Uno es don Diego de Pastrana, el hermano de Elvira. Y el otro... ¡qué espanto[176]!... el otro es él. Es su misma imagen, su misma figura. «¡No puede ser!», dice. Se toca y siente miedo. Pero pierde el miedo rápidamente y dice: «¿Enterrarme a mí? Es absurdo. Yo no puedo estar vivo y muerto al mismo tiempo. Mañana me voy a quejar[177] de este error». 7.

7. **Versión original del texto anterior**

> y la blanca dama devota rezando,
> entrambas rodillas en tierra dobló.

172 desierto: vacío.
173 inmenso: muy grande.
174 entierro: desfile a pie con el ataúd desde la casa del muerto o desde la iglesia hasta el cementerio.
175 arrodillarse: ponerse de rodillas, inclinarse apoyando las rodillas en el suelo.
176 espanto: miedo, terror.
177 quejarse de: presentar una queja, una reclamación.

Calado el sombrero y en pie, indiferente
el féretro mira don Félix pasar,
y al paso pregunta con su aire insolente
los nombres de aquellos que al sepulcro van.

Mas ¡cuál su sorpresa, su asombro cuál fuera,
cuando horrorizado con espanto ve
que el uno don Diego de Pastrana era,
y el otro, ¡Dios santo!, y el otro era él...!

Él mismo, su imagen, su misma figura,
su mismo semblante, que él mismo era en fin:
y duda y se palpa y fría pavura
un punto en sus venas sintió discurrir.

Al fin era hombre, y un punto temblaron
los nervios del hombre, y un punto temió;
mas pronto su antiguo vigor recobraron,
pronto su fiereza volvió al corazón.

—Lo que es, dijo, por Pastrana,
bien pensado está el entierro;
mas es diligencia vana
enterrarme a mí, y mañana
me he de quejar de este yerro.

Don Félix se rio con fuerza, tomó su espada y embistió[178] a la sombra. Pero no encontró nada. Solo unos ojos que le miraban fijamente. Miró al cielo y con rabia[179] dijo: «Vamos, adelante. Así estaremos juntos Dios, el diablo y yo».

178 embestir: atacar.
179 rabia: enfado.

Los dos volvieron a caminar. La mujer delante. El estudiante detrás. La mujer se paró frente a una puerta muy alta. Llamó y se abrió de forma misteriosa. Entró. Y el estudiante la siguió.

Pasan ahora por varias galerías[180] desiertas, que están iluminadas con velas[181]. La mujer, sin hacer ruido, camina suavemente. Él la sigue. La luz es tenue y rojiza[182]. Las sombras van y vienen. Hay restos[183] de alguna iglesia, sepulcros[184], estatuas, columnas antiguas. Todo es triste, oscuro y húmedo. Todo es muy misterioso. Todo está en silencio. No hay vida. Las sombras que están en aquella negra cueva[185] se acercan a ver al hombre que ha entrado y ha roto su paz. Lo miran fijamente[186]. Tienen ojos brillantes y rojos como el fuego. Son ojos de enfado.

Montemar camina con decisión[187] y provoca[188] la cólera[189] de Dios. Montemar es un nuevo Lucifer[190]. No tiene miedo a Dios. Cruza la estancia[191]. Al fondo está su blanca y misteriosa guía. Parece una blanca nube en el viento.

---

180 galería: pasillo.
181 vela: cirio, cilindro de cera u otra materia grasa, que se emplea para dar luz.
182 rojiza: de color rojo.
183 resto: lo que queda de un edificio destruido.
184 sepulcro: tumba.
185 cueva: caverna, gruta.
186 fijamente: sin apartar la mirada.
187 decisión: seguridad.
188 provocar: causar.
189 cólera: enfado, ira.
190 Lucifer: es el ángel que se rebeló contra Dios. Es otro de los nombres que recibe el diablo.
191 estancia: habitación, lugar donde se está.

Al final del largo pasillo, Montemar encuentra una escalera de caracol[192], de mármol[193] negro, larga y estrecha. La escalera da vueltas como un remolino[194]. Montemar se marea[195] y se cae. Llega a un abismo[196]. Mientras cae, ve cómo pasa el mundo. Oye ruidos, voces, aplausos[197] y risas; gritos[198] de aves y gemidos[199] de hombres y mujeres que le miran mientras van girando en remolino.

De repente se para el movimiento, abre los ojos y se pone de pie. Ve a la mujer. Está sola, en medio de la estancia. Está sentada al lado de un monumento[200] negro. Parece una tumba. Pero Montemar se imagina que es el lecho nupcial[201] que espera al hombre que se va a casar. Don Félix se pone delante de la mujer y le pide que le deje ver su cara. «¿Eres diablo, mujer o fantasma?», pregunta el estudiante. «¿Te envía Dios o el diablo? ¿Quién eres? Quiero saberlo. Tengo que llegar al final de esta aventura».

Montemar oye de nuevo gritos y ruidos; oye cómo chocan[202] las calaveras[203], cómo se mueve la tierra y soplan

192 escalera de caracol: escalera en espiral.
193 mármol: tipo de piedra caliza resistente que se usa en escultura, en decoración y también en los sepulcros. Puede ser de varios colores, pero el blanco es el más frecuente.
194 remolino: movimiento giratorio y rápido del aire, agua, o humo.
195 marearse: desvanecerse, perder el sentido.
196 abismo: profundidad grande y peligrosa, como la de los mares o las cuevas.
197 aplauso: celebración hecha con las palmas de las manos.
198 grito: ruido hecho con la boca.
199 gemido: sonido o voz que expresa dolor.
200 monumento: aquí es la construcción que hay sobre la tumba.
201 lecho nupcial: la cama en la que los recién casados celebran su matrimonio.
202 chocar: tropezar, dar unos contra otros.
203 calavera: coloquialmente el conjunto de huesos de la cabeza.

los vientos. Varios esqueletos[204] bailan[205] alrededor de él. La mujer le ofrece[206] una mano fría como el hielo. El estudiante se aparta[207] pero ella le toma la mano. Nota un frío intenso. Se acerca a ella, le quita el velo y, por fin, le ve la cara.

155

—¡Es su prometido[208]! —dijeron las voces—. Al fin, encontró a su prometido.

—¡Es su eterno amor! —gritaron felices los espíritus.

Ella entonces gritó:

160

—¡Mi prometido!

Y se produjo el terrible desengaño[209], la triste verdad: la cara de la misteriosa mujer de blanco era una horrible calavera.

8.

8. **Versión original del texto anterior**

y enlazadas las manos siniestras,
con dudoso, espantado ademán
contemplando, y tendidas sus diestras
con asombro al osado mortal,

se acercaron despacio y la seca
calavera, mostrando temor,
con inmóvil, irónica mueca
inclinaron, formando enredor.

204 esqueleto: aquí se refiere a los cuerpos de los muertos que solo tienen los huesos.
205 bailar: danzar.
206 ofrecer: dar, tender.
207 apartarse: alejarse, separarse.
208 prometido: el hombre con el que se va a casar.
209 desengaño: descubrimiento de la verdad.

Y entonces la visión del blanco velo
al fiero Montemar tendió una mano,
y era su tacto de crispante hielo,
y resistirlo audaz intentó en vano:

galvánica, cruel, nerviosa y fría,
histérica y horrible sensación,
toda la sangre coagulada envía
agolpada y helada al corazón...

Y a su despecho y maldiciendo al cielo,
de ella apartó su mano Montemar,
y temerario alzándola a su velo,
tirando de él la descubrió la faz.

—¡Es su esposo! los ecos retumbaron,
—¡La esposa al fin que su consorte halló!
Los espectros con júbilo gritaron:
—¡Es el esposo de su eterno amor!

Y ella entonces gritó: «—¡Mi esposo!—». Y era
(¡desengaño fatal!, ¡triste verdad!)
una sórdida, horrible calavera,
la blanca dama del gallardo andar...

165 Luego se acercó un caballero muy elegante, pero con la cara de un muerto. Tenía una espada atravesando su pecho. Le dio la mano a Montemar y le dijo: «Al fin has cumplido[210] tu promesa. Ahí está doña Elvira, la mujer a la que le prometiste amor eterno».

170 —Te perdono mi muerte, don Diego —respondió don Félix—. Me alegro de verte tranquilo. En cuanto a ese

210 cumplir: hacer realidad.

esqueleto que dices que es mi esposa, no tiene una cara agradable, pero la acepto. Espero que no me moleste más, pues ya está muerta. Pero dime: ¿quién me trajo aquí?, ¿Dios o el demonio? Quiero que estén en mi boda[211].

La mujer le abrazó con sus fríos y desagradables brazos. Acercó su boca sin dientes a la boca de Montemar y lo besó. El estudiante se apartó, pero no pudo huir[212]. De nuevo los esqueletos comenzaron a danzar y una boca sin lengua dijo estas palabras:

—Hoy es un día feliz. Los amantes por fin se abrazan y se besan. Ahora descansan para siempre. Y esta tumba va a ser su lecho nupcial.

Después de estas palabras, Montemar nota[213] que no tiene fuerza y se marea. No puede respirar. Ve solo sombras. No consigue estar de pie. Y, entonces, vio una luz intensa y se murió. En el aire quedó el eco[214] de su último lamento[215].

* * *

El día estaba limpio y la mañana tranquila. Un cielo rojizo iluminaba con alegría las altas torres de la ciudad. Había pasado la noche y habían desaparecido las sombras y los fantasmas. De nuevo volvía la actividad. Algunos hombres iban a su trabajo diario. Y otros, a sus diver-

211 boda: matrimonio, casamiento.
212 huir: escapar.
213 notar: sentir.
214 eco: repetición de un sonido.
215 lamento: queja.

siones[216]. Todos comentaban que, aquella pasada noche, el diablo, en forma de mujer, vestida con una túnica[217] blanca, había venido a la ciudad a llevarse a don Félix de Montemar, el estudiante de Salamanca.

95

Lector, a mí me lo contaron así. Así te lo cuento yo. 9.

Versión original del texto anterior

9.

En tanto en nubes de carmín y grana
su luz el alba arrebolada envía,
y alegre regocija y engalana
las altas torres al naciente día;
sereno el cielo, calma la mañana,
blanda la brisa, trasparente y fría,
vierte a la tierra el sol con su hermosura
rayos de paz y celestial ventura.

Y huyó la noche y con la noche huían
sus sombras y quiméricas mujeres,
y a su silencio y calma sucedían
el bullicio y rumor de los talleres;
y a su trabajo y a su afán volvían
los hombres y a sus frívolos placeres,
algunos hoy volviendo a su faena
de zozobra y temor el alma llena:

¡Que era pública voz, que llanto arranca
del pecho pecador y empedernido,
que en forma de mujer y en una blanca
túnica misteriosa revestido,
aquella noche el diablo a Salamanca
había en fin por Montemar venido!...
Y si, lector, dijerdes ser comento,
como me lo contaron, te lo cuento.

216 diversión: pasatiempo, entretenimiento.
217 túnica: vestido amplio y largo sin mangas.

ACTIVIDADES

Aquí tienes dos fragmentos de *El estudiante de Salamanca*: texto adaptado y versión original. Léelos y responde a las preguntas.

Fragmento 1.

Texto adaptado
La mujer de blanco se arrodilla y reza. Don Félix, indiferente, sigue de pie y pregunta quiénes son los muertos. Nadie le responde. Pero ahora los ve. Uno es don Diego de Pastrana, el hermano de Elvira. Y el otro... ¡qué espanto!... el otro es él. Es su misma imagen, su misma figura. «¡No puede ser!», dice. Se toca y siente miedo. Pero pierde el miedo rápidamente y dice: «¿Enterrarme a mí? Es absurdo. Yo no puedo estar vivo y muerto al mismo tiempo. Mañana me voy a quejar de este error».

1. La mujer que está de rodillas, ¿qué hace?
2. ¿Qué pregunta don Félix cuando llevan a unos muertos a enterrar?
3. ¿Por qué se sorprende tanto don Félix cuando ve a los muertos?
4. ¿Como reacciona finalmente don Félix?
5. Observa las palabras subrayadas en la versión original y marca su equivalente en el texto adaptado.

Versión original

y la blanca dama devota rezando,
entrambas rodillas en tierra dobló.

Calado el sombrero y en pie, indiferente
el féretro mira don Félix pasar,
y al paso pregunta con su aire insolente
los nombres de aquellos que al sepulcro van.

Mas ¡cuál su sorpresa, su asombro cuál fuera,
cuando horrorizado con espanto ve
que el uno don Diego de Pastrana era,
y el otro, ¡Dios santo!, y el otro era él...!

Él mismo, su imagen, su misma figura,
su mismo semblante, que él mismo era en fin:
y duda y se palpa y fría pavura
un punto en sus venas sintió discurrir.

Al fin era hombre, y un punto temblaron
los nervios del hombre, y un punto temió;
mas pronto su antiguo vigor recobraron,
pronto su fiereza volvió al corazón.

—Lo que es, dijo, por Pastrana,
bien pensado está el entierro;
mas es diligencia vana
enterrarme a mí, y mañana
me he de quejar de este yerro.

Fragmento 2.

Texto adaptado

La mujer le ofrece una mano fría como el hielo. El estudiante se aparta pero ella le toma la mano. Nota un frío intenso. Se acerca a ella, le quita el velo y, por fin, le ve la cara.

—¡Es su prometido! —dijeron las voces—. Al fin, encontró a su prometido.

—¡Es su eterno amor! —gritaron felices los espíritus.

Ella entonces gritó:

—¡Mi prometido!

Y se produjo el terrible desengaño, la triste verdad: la cara de la misteriosa mujer de blanco era una horrible calavera.

1. ¿Qué siente el estudiante cuando la mujer le da la mano?
2. Cuando don Félix se acerca a la mujer, ¿qué hace?
3. ¿Qué dicen las voces?
4. ¿Por qué se produce una sorpresa final?
5. Observa las palabras subrayadas en la versión original y marca su equivalente en el texto adaptado.

Versión original

Y entonces la visión del blanco velo
al fiero Montemar tendió una mano,
y era su tacto de crispante hielo,
y resistirlo audaz intentó en vano:

galvánica, cruel, nerviosa y fría,
histérica y horrible sensación,
toda la sangre coagulada envía
agolpada y helada al corazón...

Y a su despecho y maldiciendo al cielo,
de ella apartó su mano Montemar,
y temerario alzándola a su velo,
tirando de él la descubrió la faz.

—¡Es su esposo! los ecos retumbaron,
—¡La esposa al fin que su consorte halló!
Los espectros con júbilo gritaron:
—¡Es el esposo de su eterno amor!

Y ella entonces gritó: «—¡Mi esposo!—». Y era
(¡desengaño fatal!, ¡triste verdad!)
una sórdida, horrible calavera,
la blanca dama del gallardo andar...

TALLER DE ESCRITURA

Redactas un texto

- Escribe un breve párrafo con diez adjetivos sobre Elvira y otros diez sobre la personalidad de don Félix.

- En el siguiente fragmento se hace una descripción en tercera persona de don Félix. Reescríbelo en primera persona.

  Este hombre es don Félix de Montemar, otro don Juan Tenorio, colérico, insolente, sin religión, valiente, engreído y provocador. No tiene miedo a nada ni a nadie, pues es muy atrevido. Se burla de las mujeres, que deja después de conquistarlas. No piensa en el pasado ni tiene miedo al futuro. Y no le importa perder dinero en el juego. Le gustan las peleas y los amoríos. En Salamanca es famoso por su mala vida y su buen humor. Todos lo conocen pero lo perdonan, porque es rico y elegante.

- Escríbele una carta a Elvira para convencerla de que no debe confiar en la promesa del estudiante.

- Cambia el siguiente diálogo en un texto narrativo.

  Don Diego: Quiero hablar a solas con usted.

  Don Félix: Ahora estoy jugando. Puede hablar aquí. Estos caballeros son mis amigos. ¿Lo envía Dios a reprenderme? Pues puede reprendernos a todos.

  Don Diego: (Se enfada y se quita la capa). *Soy don Diego de Pastrana. ¿No me conoce?*

Don Félix: A usted, no. Pero sí a una mujer que creo que es hermana suya.

Don Diego: ¿Y no sabe que ha muerto?

Don Félix: ¿Y qué?

Don Diego: Usted sabe muy bien quién la mató.

Don Félix: (Con ironía). *¿Algunas fiebres?*

Don Diego: Cínico.

Don Félix: Tranquilo, don Diego. Va a morirse usted también. Y yo no lo deseo. Además, ¡su hermana no va a resucitar!

Don Diego: Quiero matarlo, pero matarlo una sola vez me parece poco. Tengo que vengar la muerte de mi hermana. (Saca la espada. Los jugadores no permiten la pelea).

Escribes tu opinión

- Esta obra es de la primera mitad del siglo XIX. ¿Qué actitudes de los personajes te parecen poco actuales? ¿Crees que el comportamiento de Elvira, don Félix o don Diego son habituales hoy? Escribe un breve párrafo dando tu opinión.

DICCIONARIO

abandonado, a ....
abisma (el) ....
abrazo (el) ....
acacia (la) ....
aceite (el) ....
aceptar ....
acercarse ....
actuar ....
adorar ....
adornar ....
adorno (el) ....
adversidad ....
afecto ....
agitado, a ....
ahora ....
aire (el) ....
alcohol (el) ....
alegrarse ....
alegría (la) ....
alma (el) ....
almena (la) ....
alterar ....
altivo, a ....
amabilidad (la) ....
amante (el, la) ....
amargo, a ....
amorío (el) ....
amplio, a ....
ángel (el) ....
apagar ....
apetecer ....
aplauso (el) ....
apostar ....
aprovechar ....
aproximarse ....
apuesta (la) ....
árbol (el) ....
arma (el) ....
arriesgar ....
arrodillarse ....
asombro (el) ....
asustado, a ....

atar ....
atardecer (el) ....
ataúd (el) ....
atrevido, a ....
ausencia (la) ....
baraja (la) ....
barco (el) ....
belleza (la) ....
bello, a ....
besar ....
boda (la) ....
borracho, a ....
borrasca (la) ....
brazo (el) ....
breve ....
brillo (el) ....
burlarse ....
caballo (el) ....
cabeza (la) ....
caerse ....
caído, a ....
caja (la) ....
calavera (la) ....
campana (la) ....
canción (la) ....
cantar ....
capa (la) ....
cara (la) ....
caracol (el) ....
caricia (la) ....
cariño (el) ....
carta (la) ....
casamiento (el) ....
casarse ....
castillo (el) ....
causar ....
caverna (la) ....
celebración (la) ....
celebrar ....
cementerio (el) ....
cera (la) ....
cielo (el) ....
cinta (la) ....
cirio (el) ....
claramente ....
claridad (la) ....
cólera (la) ....
colérico, a ....
colina (la) ....
comentario (el) ....
comparar ....
conocer ....

conseguir ....
contar ....
copa (la) ....
corazón (el) ....
cordura (la) ....
corona (la) ....
costar ....
creer ....
crimen ....
cruz (la) ....
cruzar ....
cuello (el) ....
cuerpo (el) ....
cueva (la) ....
cumplir ....
daño (el) ....
dar ....
débil ....
decisión (la) ....
dejar ....
delante ....
delito (el) ....
demonio (el) ....
desafortunado, a ....
desagradable ....
desaparecer ....
desatino (el) ....
descansar ....
descarado, a ....
describir ....
desdicha (la) ....
desdichado, a ....
desengaño (el) ....
desfile (el) ....
desgracia (la) ....
deshojar ....
desierto (el) ....
desierto, a ....
desprenderse ....
después ....
destello (el) ....
desvanecerse ....
desvergonzado, a ....
detrás ....
devolver ....
diablo (el) ....
dibujo (el) ....
dichoso, a ....
dinero (el) ....
disfrutar ....
disgusto (el) ....
disimular ....

disparate (el) ....

distraídamente ....

distraído, a ....

diversión (la) ....

dolor (el) ....

doloroso, a ....

dulce ....

dulzura (la) ....

ebrio, a ....

eco (el) ....

elegante ....

embestir ....

emplear ....

encuentro (el) ....

enfadarse ....

enfado (el) ....

enfermedad (la) ....

engañado, a ....

engañar ....

engreído, a ....

enlazar ....

enterrar ....

entierro (el) ....

equivocado, a ....

error (el) ....

esmeralda (la) ....

espada (la) ....

espanto (el) ....

espantoso, a ....

esperanza (la) ....

espiral (la) ....

espíritu (el) ....

esqueleto (el) ....

estancia (la) ....

estrecho, a ....

estrella (la) ....

eterno, a ....

expresión (la) ....

extrañeza (la) ....

facilidad (la) ....

falso, a ....

fantasma (el) ....

felicidad (la) ....

feliz ....

fiebre (la) ....

fiera (la) ....

fiesta (la) ....

flor (la) ....

fortuna (la) ....

frecuente ....

fuerza (la) ....

futuro (el) ....

galería (la) ....
gasa (la) ....
gemido (el) ....
gota (la) ....
gritar ....
gruta (la) ....
hecho (el) ....
helar ....
hermoso, a ....
hoja (la) ....
horrible ....
hueso (el) ....
huir ....
humano, a ....
húmedo, a ....
humor (el) ....
iglesia (la) ....
iluminar ....
ilusión (la) ....
imaginar ....
importancia (la) ....
importar ....
incinerar ....
incomodar ....
infiel ....
infracción (la) ....
ingenuo, a ....
inicio (el) ....
inmenso, a ....
inmortal ....
inocente ....
inquieto, a ....
insolente ....
intenso, a ....
interesar ....
intranquilidad (la) ....
intranquilo, a ....
ira (la) ....
jardín (el) ....
juego (el) ....
juguete (el) ....
ladrar ....
ladrido (el) ....
lágrima (la) ....
lamento (el) ....
lámpara (la) ....
lánguido, a ....
largo, a ....
latir ....
lector, -a (el, la) ....
lento, a ....
levantar ....

limpio, a ....
liso, a ....
lleno, a ....
llevar ....
llorar ....
lluvia (la) ....
loco, a ....
locura (la) ....
lucero (el) ....
lugar (el) ....
lúgubre ....
luna (la) ....
luz (la) ....
malestar ....
malo, a ....
manga (la) ....
mano (la) ....
maravilloso, a ....
marchito, a ....
marco (el) ....
marearse ....
mareo (el) ....
matrimonio (el) ....
medianoche (la) ....
melancólico, a ....
mentira (la) ....
metido, a ....
miedo (el) ....
mirada (la) ....
misterioso, a ....
molestar ....
momento (el) ....
moneda (la) ....
montaña (la) ....
moribundo, a ....
morir ....
mover ....
muchacho, a (el, la) ....
muerto, a ....
muralla (la) ....
murmullo (el) ....
muro (el) ....
nacer ....
naipe (el) ....
naranjo (el) ....
nervioso, a ....
niebla (la) ....
notar ....
novia (la) ....
nube (la) ....
ocultar ....
ofender ....

ofrecer ....
ola (la) ....
oler ....
olvidar ....
olvido (el) ....
orgulloso, a ....
oro (el) ....
oscuridad (la) ....
oscuro, a ....
paisaje (el) ....
palabra (la) ....
palpitar ....
paraíso (el) ....
parar ....
parecer ....
pasado (el) ....
pasajero, a ....
pasar ....
pasatiempo (el) ....
pasillo (el) ....
paso (el) ....
paz (la) ....
pecador, -a (el, la) ....
pedir ....
pelea (la) ....
pelo (el) ....
pena (la) ....
perder ....
perdido, a ....
perdonar ....
permitir ....
pie (el) ....
pieza (la) ....
pintura (la) ....
plata (la) ....
playa (la) ....
poco, a ....
ponerse ....
preocupación (la) ....
presente (el) ....
producir ....
profundidad (la) ....
profundo, a ....
prometido, a ....
protagonista (el, la) ....
proteger ....
provocador, a ....
pueblo (el) ....
puro, a ....
queja (la) ....
quejarse ....
quieto, a ....

rabia (la) ....

rama (la) ....

rayo (el) ....

realidad (la) ....

reclamación (la) ....

recoger ....

recogido, a ....

recorrer ....

recuerdo (el) ....

referirse ....

refrán (el) ....

reírse ....

rclatar ....

religión (la) ....

remordimiento (el) ....

repetición (la) ....

reprender ....

respiración (la) ....

respirar ....

resplandor (el) ....

resto (el) ....

resucitar ....

retrato (el) ....

rezar ....

rico, a ....

río (el) ....

rodilla (la) ....

rojizo, a ....

ruido (el) ....

ruina (la) ....

salud (la) ....

sangre (la) ....

seco, a ....

seducir ....

seguridad (la) ....

seguro, a ....

sentarse ....

sentir ....

sepulcro (el) ....

sereno, a ....

siempre ....

silbar ....

silencio (el) ....

silencioso, a ....

soberbio, a ....

sol (el) ....

soldado (el) ....

sombra (la) ....

sombrero (el) ....

sonar ....

sonido (el) ....

soñar ....

sorpresa (la) ....
suave ....
suavidad (la) ....
suelto, a ....
suerte (la) ....
superficial ....
suspirar ....
suspiro (el) ....
susurro (el) ....
tapado, a ....
tapar ....
tarde (la) ....
tembloroso, a ....
tender ....
tenue ....
terror (el) ....
tontería (la) ....
torre (la) ....
traje (el) ....
tranquilo, a ....
transparente ....
trastornado, a ....
triste ....
tristeza (la) ....
tropezar ....
tumba (la) ....
túnica (la) ....
último, a ....
único, a ....
vacío, a ....
vagar ....
valentía (la) ....
vanidoso, a ....
vela (la) ....
velocidad (la) ....
veneno (el) ....
venganza (la) ....
vengar ....
verdad (la) ....
vestido (el) ....
vestido, a ....
vida (la) ....
viento (el) ....
vino (el) ....
violencia (la) ....
vitalidad (la) ....
voz (la) ....